Y0-BTW-801

Dieses Buch gehört:

Copyright der deutschsprachigen Ausgabe
by Gondrom Verlag GmbH, Bindlach 1998
© Oyster Books Ltd., England
Alle Rechte vorbehalten.
Druck und Bindung: Proost N.V., Belgien
ISBN 3-8112-1640-6

Mein bärenstarkes Vorschul-buch

Illustrationen von Rebecca Archer

Gondrom

Das ist Knuddelbär,
und das sind seine Freunde.
Auf der nächsten Seite erfährst
du, wie sie alle heißen.

Wie ist dein Name?
Hast du auch einen Teddybären?
Wenn ja, wie heißt er denn?

Jetzt kannst du die Bärenfreunde begrüßen.

Weißt du noch den Namen des Bären, der hier die Gewichte stemmt?

Die Bärenfreunde wollen ein schönes Bild malen.
Und weil Knuddelbär sehr schlau ist, zeigt er seinen Freunden die Farben.
Kennst du diese Farben auch?
Welche ist deine Lieblingsfarbe?

Gelb
Blau
Grün
Orange
Schwarz
Weiß
Grau

Die Bärenfreunde haben heute viel zu tun.
Die einen streichen das Haus neu an,
die anderen den Gartenzaun.
Kannst du sehen, was Honigbärli macht?
In welcher Farbe streicht Knuddelbär den Gartenzaun?
Zähle alle grünen Dinge auf, die du
auf diesem Bild finden kannst.

Nun lernen die Bärenfreunde gemeinsam die Zahlen.
Du kannst ihnen bestimmt dabei helfen, oder?

Wie viele Bären schlagen die Trommel?
Welche Zahl kommt nach der 1?
Wie viele Bären probieren Hüte auf?
Wie viele Bücher kannst du entdecken?

3 drei Hüte

4 vier Bücher

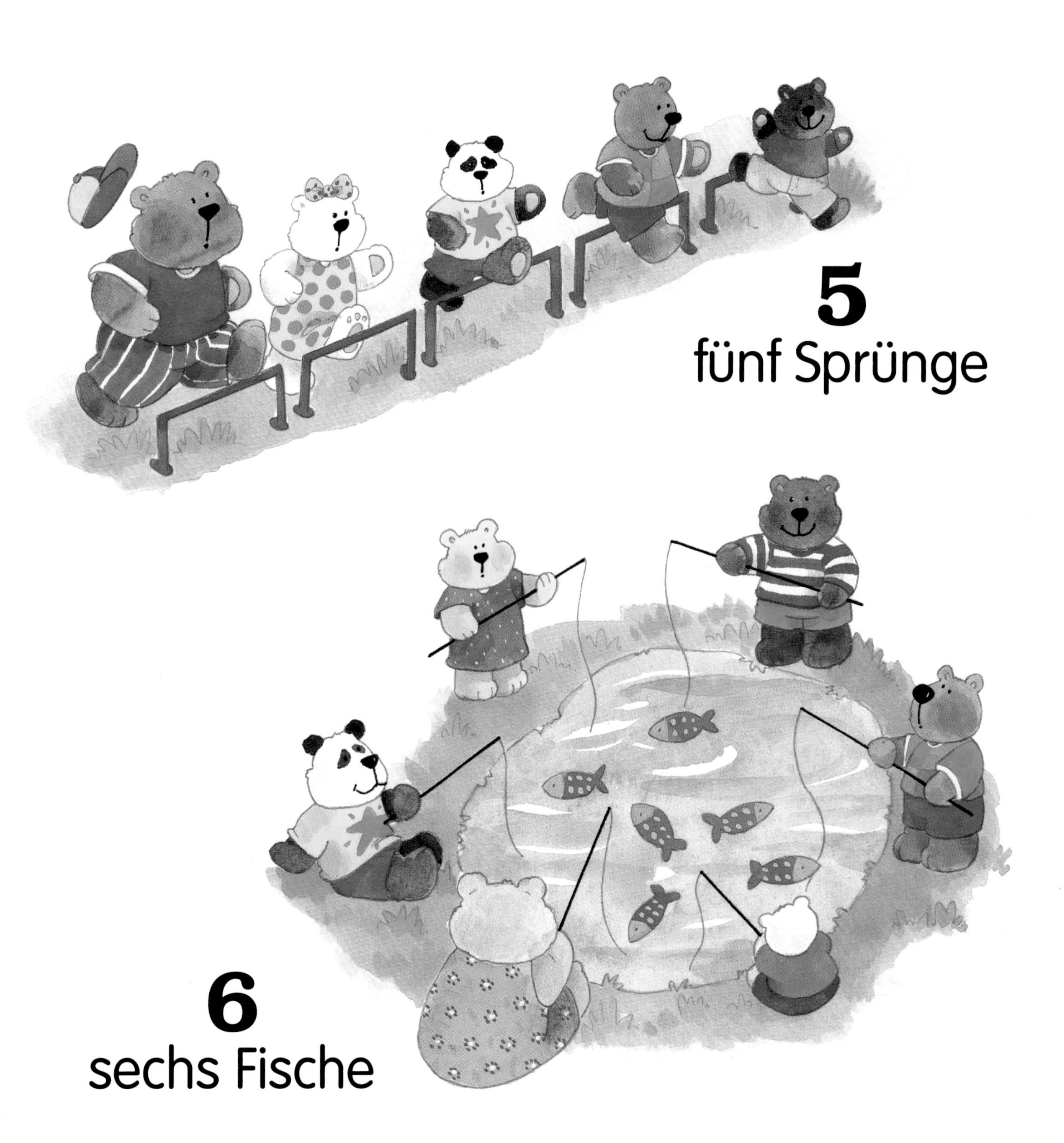

5
fünf Sprünge

6
sechs Fische

7
sieben
Fahrräder

8
acht
Regenschirme

Wie viele Bären springen über die Hürden?

Wie viele Fische sind im Teich?

Welche Farbe hat das Fahrrad von Eisbärlein?

Welche Zahl kommt nach der 7?

9
neun Schlitten

10

10
zehn Drachen

Wie viele Bären
rodeln den Berg hinunter?
Wie viele Drachen steigen
in den Himmel?
Zeige Knuddelbär,
wo die blauen Drachen sind.

1
eins
•

2
zwei
••

3
drei
•••

4
vier
••••

5
fünf
•••••

Wie viele Bären spielen mit dem Ball?
Welche Farbe hat die Schaukel?
Wie viele Bären sitzen im Sandkasten?
Kannst du die Zahl **5** entdecken?
Kannst du von **1** bis **10** zählen?

6
sechs
●●●●●●

7
sieben
●●●●●●●

8
acht
●●●●
●●●●

9
neun
●●●●
●●●●●

10
zehn
●●●●●
●●●●●

Hier zeigt Knuddelbär seinen Bärenfreunden die verschiedenen Formen. Jede Form hat einen Namen. Lasst uns diese zusammen laut nachsprechen.

Diese Form nennt man **Kreis**.
Ein Kreis hat keine Ecken oder Kanten und sieht aus wie ein Ball.

Das ist ein **Quadrat**.
Wie du siehst, sind alle
Seiten des Quadrates
gleich lang.

Der Name dieser Form lautet **Dreieck**, weil es nur aus drei Linien und drei Ecken besteht.

Welche Form versucht Knuddelbär davonzurollen?
Das Quadrat ist nicht rot, nicht grün und nicht blau, sondern?
Wo ist das Dreieck?
Auf dieser Seite sind weitere Dreiecke versteckt. Wo?

Das ist ein **Rechteck**.
Ein Rechteck besteht immer aus zwei längeren und zwei kürzeren Seiten.

Welche Farbe hat das Rechteck?

Siehst du auf dieser Seite noch mehr Rechtecke?

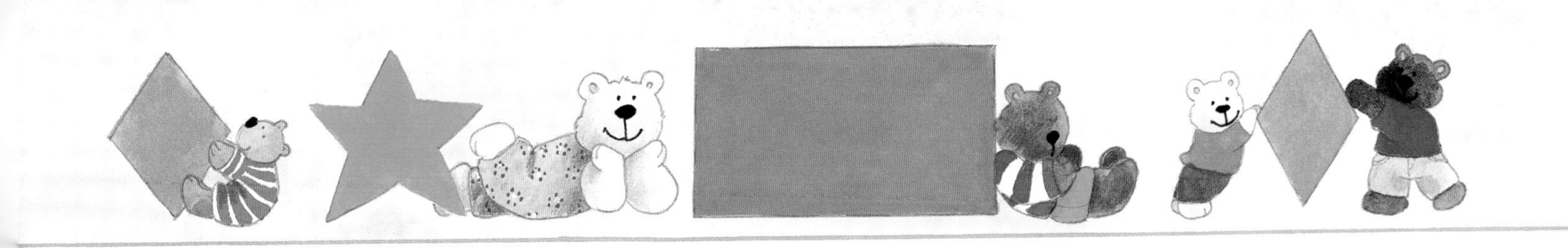

Diese Form nennt man **Raute,**

und das ist, wie du sicher weißt, ein **Stern**.

Wo war gleich wieder die Raute?
Hinter welcher Form versucht sich Rostibär zu verstecken?
Wie viele Sterne sind auf dieser Seite abgebildet?

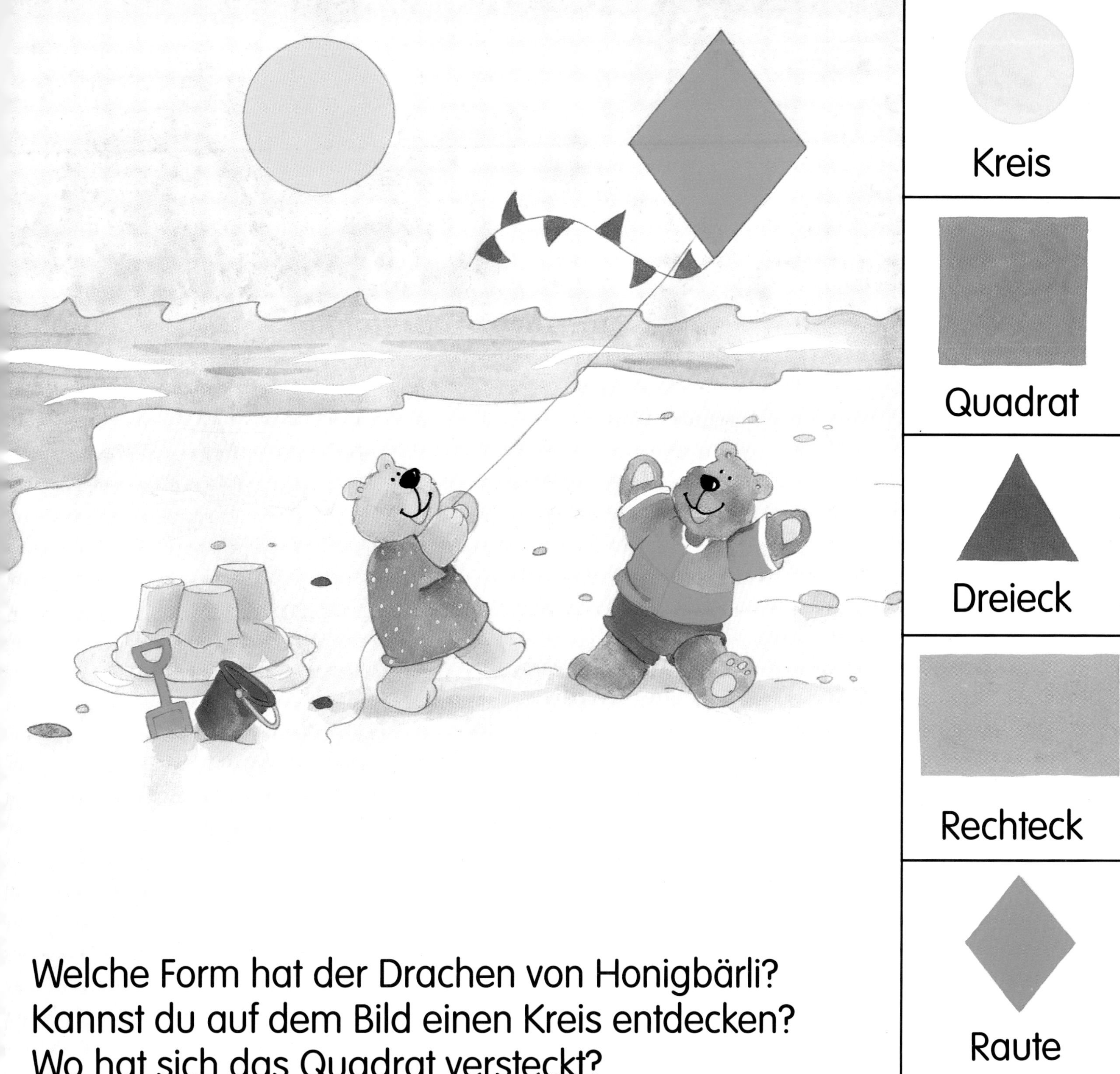

Welche Form hat der Drachen von Honigbärli?
Kannst du auf dem Bild einen Kreis entdecken?
Wo hat sich das Quadrat versteckt?
Wie viele Bären sitzen in dem Segelboot?
Welche Farbe hat das Segel des Bootes?
Kannst du dich noch an alle Formen erinnern?

Aber Knuddelbär weiß noch viel mehr, denn jetzt erklärt er, dass man verschiedene Größen unterschiedlich benennt.

Knuddelbär ist **groß**, Schneebärchen ist **klein**.

Manche Dinge sind **winzig**. Brummbär und Pandibär beobachten eine winzige Ameise.

Bärlinda läuft auf Stelzen
und sieht **riesig** aus.

Die Hosen von Rostibär sind zu **lang**
und die von Schwarzbärle zu **kurz**.

Nun lernen die Bären, dass viele Dinge einfach zusammengehören. Diese hier kennst du auch.

Seife und Handtuch

Zahnbürste und Zahnpasta

Unterhemd und Unterhose

Hut und Mantel

Versuche, diese Dinge laut zu wiederholen.

Farbe und Pinsel

Schüssel und Löffel

Schläger und Ball

Eimer und Schaufel

Bestimmt kannst du noch mehr Dinge aufsagen, die zusammengehören.

Die Bären haben immer viel zu tun, doch alles geschieht zu einer bestimmten Zeit. Früh am Morgen, gleich nach dem Aufstehen, stärken sie sich mit einem Frühstück für den Tag.

Was magst du zum Frühstück am liebsten?

Nach dem Frühstück spielen die Bären.

Was macht Babybär?
Was ist dein liebstes Spielzeug?

Der Tag geht schnell vorbei. Schon ist es Abend. Bevor die Bären aber ins Bett gehen, steigen sie in die Badewanne.

Es ist lustig, im warmen Wasser zu planschen. Spielst du auch gerne in der Badewanne?

Nach dem Baden sind alle
Bären sehr müde. Höchste
Zeit, ins Bett zu gehen.
Knuddelbär liest allen noch eine Gutenachtgeschichte
vor, doch Eisbärlein ist bereits fest eingeschlafen.
Wie heißt deine liebste Gutenachtgeschichte?

Hier zeigen dir die Bärenfreunde,
dass jeder Teil des Körpers einen Namen hat.
Kennst du die Körperteile, auf die Eisbärlein zeigt?

Augen

Nase

Ohren

Mund

Spreche die Namen laut nach.

Das ist, wie du weißt, Knuddelbär.

Kannst du seine Augen finden?
Jetzt suche seine Nase.

Wo ist sein Mund?
Deute auf seine Ohren.

Zeige Knuddelbär nun deine eigenen Augen und
Ohren sowie deine Nase und deinen Mund.

Weißt du auch, wie diese Körperteile heißen?

Arme

Kannst du wie die Bären deine Arme schwingen?

Hände

Zeige deine Hände. Wozu braucht man eigentlich Hände?

Beine

Zeig her deine Beine.
Was kann man mit den Beinen alles machen?

Füße

Jeder Bär hat zwei Füße. Wie viele Füße hast du?

Bauch

Wo ist dein Bauch? Hast du auch einen Bauchnabel?

Popo

Wo ist dein Popo?

Kannst du mit deinem Popo hin- und herwackeln?

An dieser Stelle hat Knuddelbär ein kleines Rätsel für dich, das aber gar nicht schwer ist, denn die Bilder verraten dir die Antworten.

Zeig mir, wie man freudig klatscht
Oder in der Pfütze platscht;
Wie ein Hase ganz weit springt
Und ein Vogel in die Lüfte schwingt.

Womit schnuppert jeder Hund?
Womit siehst du kunterbunt?
Womit kannst du sprechen, lachen, singen?
Womit hören, wie die Töne klingen?

Wenn es beginnt, in dir zu knurren,
Woher kommt das laute Murren?
Nun sage mir zu guter Letzt,
Auf welches Teil man sich hinsetzt.

Nie können die Bärenfreunde ruhig sitzen bleiben. Immer sind sie in Bewegung. Knuddelbär schleicht auf Zehenspitzen durch das Zimmer,

Babybär krabbelt auf dem Boden herum,

und Brummbär hopst auf dem Sessel wie auf einem Trampolin,

Machst du das alles auch?

Honigbärli und Schwarzbärle klettern auf die Lehnen des Sessels, während sich die anderen Bären auf dem Teppich rollen.

Es ist Mittag, und die Bären gehen hungrig nach Hause. Honigbärli und Schneebärchen spazieren gemütlich den Weg entlang, während Schwarzbärle und Pandibär eilig hinterherlaufen.

Kannst du auch so schön auf
einem Bein hüpfen wie Brummbär?
Wer springt da hoch in die Luft?
Wer übt sich im Seilhüpfen?

Den Bären wird es nie langweilig.
Auf der einen Seite steigen sie die Treppen **hinauf**,
auf der anderen Seite wieder **hinunter**.

Welche Bären steigen die Treppen hinauf?
Wie viele Bären gehen die Treppen hinunter?

Diese Bären üben sich im Turnen.
Rostibär nimmt Anlauf und springt **über** Schwarzbärle.
Babybär krabbelt **unter** Bärlinda hindurch.

Die Bärenfreunde machen einen Ausflug in den Park. Knuddelbär versteckt sich **hinter** einem Baum. Honigbärli steht **neben** dem dicken Baumstamm, und Pandibär hat sich **vor** den Baum gesetzt und ist eingeschlafen.

Das sind, wie du weißt,
Eisbärlein und Rostibär.
Sie gehen zusammen
spazieren.
Hier sind die beiden
von **vorne** abgebildet.

vorne

hinten

Jetzt haben sie sich
umgedreht, und du kannst
sie nur von **hinten** sehen.

Bei den Bärenfreunden geht es oft recht laut zu.

lachen

Knuddelbär muss laut lachen, weil die anderen ihn kitzeln. Musst du auch lachen, wenn man versucht, dich zu kitzeln?

Eisbärlein flüstert Bärlinda ein Geheimnis ins Ohr. Kannst du auch flüstern?

flüstern

Weil Schwarzbärle Honigbärli so gerne mag, gibt er ihr einen Kuss.
Wie klingt es, wenn man jemanden küsst?

küssen

Die anderen Bärenfreunde singen gemeinsam ein schönes Lied.
Singst du auch gerne?
Wie heißt dein Lieblingslied?

singen

Eisbärlein und Pandibär
klatschen eifrig in die Hände.
Wie laut kannst du klatschen?

klatschen

Einige Bärenfreunde
stampfen mit den Füßen
fest auf den Boden.
Das kannst du sicherlich
noch besser als sie.

stampfen

spritzen

Die lustigen Bären bespritzen sich gegenseitig mit Wasser.
Machst du das
auch so gerne?

trommeln

Bumm, bumm, bumm dröhnt Knuddelbärs Trommel.
Honigbärli und Pandibär begleiten ihn im Takt.
Was kannst du noch als Trommel verwenden?
Kannst du noch andere Töne machen?

Babybär hat Geburtstag

Heute ist Babybärs großer Tag, und wie du sehen kannst, freut sie sich darüber sehr.

Von allen Bärenfreunden bekommt sie viele, viele Geschenke.

Anschließend spielen die Bärenfreunde im Garten Verstecken.

Babybär hat sich so gut versteckt, dass die anderen Bären sie nicht finden können.

Bärlinda macht deshalb ein ganz verärgertes Gesicht.

Knuddelbär schaut ganz sorgenvoll,

und Schneebärchen ist so traurig, dass ihm Tränen aus den Augen kullern.

Aber Babybär freut sich, dass keiner sie finden kann, bis Pandibär sie mitten im Blumenbeet entdeckt. Hast du etwa Babybär bereits vorher gesehen?

Alle Bärenfreunde sind froh,
dass Babybär wieder da ist.

„Ich habe Hunger", sagt Knuddelbär,
„lasst uns nach Hause gehen und vom
Geburtstagskuchen naschen."
Auch die anderen Bären sind
plötzlich sehr hungrig.

Knuddelbär hat einen so leckeren Kuchen gebacken, dass Babybär gleich zwei große Stücke isst.
Magst du auch so gerne Kuchen?

Die Bären sind sehr müde, ein aufregender Tag liegt hinter ihnen.

Babybär ist bereits tief und fest eingeschlafen.

Kannst du die zehn Bärlein seh'n,
Wie sie alle hier zusammensteh'n
Und mit ihren Tatzen, rechten oder linken,
Dir noch einen Gruß zuwinken.

Knuddelbär hat dich gelehrt,
Wie man Dinge leicht vermehrt,
So dass von eins bis zehn
Du die Zahlen kannst versteh'n.

Auf Wiedersehen!

Rot, Grün, Schwarz und Blau ...
Kennst jetzt die Farben sehr genau.
Und weißt von Kopf bis Fuß
und Bauch und Po
Die Namen hierfür ebenso.

Raute, Stern und Dreieck,
Kanten gibt es auch beim Viereck.
Doch ganz anders ist der Kreis,
Hat von diesen Dingen keins.

So zeigten diese Bärlein hier
Viele neue Sachen dir.
Spielend lernen ist nicht schwer,
Nimm einfach nur dies Büchlein her.